Pour Fred et Dragica

Données de catalogage avant publication (Canada)
Gay, Marie-Louise
(Good Night Sam. Français)
Bonne nuit, Sacha
Traduction de : Good Night Sam.
Pour enfants.
ISBN 2-89512-336-5
I. Titre. II. Titre : Good Night Sam. Français.
PS8563.A868G66314 2003   C813'.54   C2003-940103-0
PS9563.A868G66314 2003
PZ23.G39BO 2003

Good Night Sam © 2003 Marie-Louise Gay
Publié par Groundwood Books/Douglas & McIntyre
Version française pour le Canada © Les éditions Héritage inc. 2003
Tous droits réservés
Texte français : Marie-Louise Gay
Directrice de collection : Lucie Papineau
Dépôt légal : 3e trimestre 2003
Bibliothèque nationale du Québec
Bibliothèque nationale du Canada

Dominique et compagnie
300, rue Arran, Saint-Lambert (Québec) J4R 1K5
Téléphone : (514) 875-0327 – Télécopieur : (450) 672-5448
Courriel : dominiqueetcie@editionsheritage.com
Site internet : www.dominiqueetcompagnie.com

Imprimé en Chine
10 9 8 7 6 5 4 3 2

Nous remercions le Conseil des Arts du Canada de l'aide accordée à notre
programme de publication, ainsi que la SODEC et le ministère du Patrimoine canadien.

Gouvernement du Québec – Programme de crédit d'impôt pour
l'édition de livres – Gestion SODEC.

BONNE NUIT
SACHA

MARIE-LOUISE GAY

Dominique et compagnie

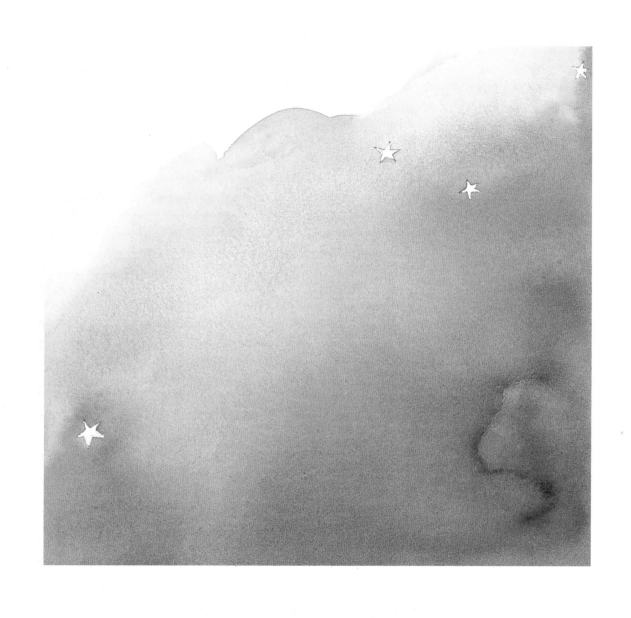

– Stella, chuchote Sacha. Dors-tu ?
– Oui, répond Stella. Et toi ?

—Non, soupire Sacha. Je ne peux pas dormir.

– Pourquoi ? As-tu fait un mauvais rêve ?
– Non, répond Sacha. Je ne peux pas dormir sans Fred.

—Où est-il? demande Stella.

—Je ne sais pas, dit Sacha.

– As-tu regardé sous ton lit?
– Il n'est pas là, dit Sacha. Fred éternue
toujours lorsqu'il est sous mon lit.

– Il est peut-être dehors, suggère Stella.

– Il fait trop noir dehors, dit Sacha. Fred a peur du noir.

– Regarde dans le placard, dit Stella.

– Un monstre vit dans ce placard, chuchote Sacha.

Fred n'y mettrait pas la patte.

– Dors, Sacha, dit Stella.

– Je ne peux pas dormir sans Fred, répète Sacha.

– Tu pourrais compter des moutons, propose Stella.
– Des moutons ! s'exclame Sacha. Quels moutons ?

– Ferme les yeux, dit Stella, et imagine une centaine
de moutons. Ensuite, tu les comptes.
– Je peux seulement compter jusqu'à trois, dit Sacha.

– Bon, soupire Stella. Allons chercher Fred.
– Je sais qu'il n'est pas en bas, dit Sacha.
Fred n'aime pas les bruits étranges.

–Ce n'est que le tic-tac de la pendule, Sacha.

– Fred est peut-être dans le salon, dit Stella.
Derrière le canapé ou sous le fauteuil…

– Fred ne s'approche jamais de ce fauteuil, dit Sacha.
Il trouve qu'il ressemble à un gros crapaud.

– Regarde ! crie Sacha. Un fantôme !

– C'est la lune, Sacha.

– Si Fred était ici, il japperait de toutes ses forces.

– Fred ne jappe jamais, dit Stella.
– Mais oui, chuchote Sacha.
Fred jappe toujours quand il a peur.

–Je suis fatiguée, Sacha. Nous chercherons Fred demain.
–Est-ce qu'on se réveillera très tôt? demande Sacha.

– Oui, répond Stella. Au chant du coq.

– Les coqs chantent ? s'étonne Sacha

– Allons nous coucher, soupire Stella.

– Stella ! J'ai trouvé Fred !
– Enfin ! s'exclame Stella. Où est-il ?

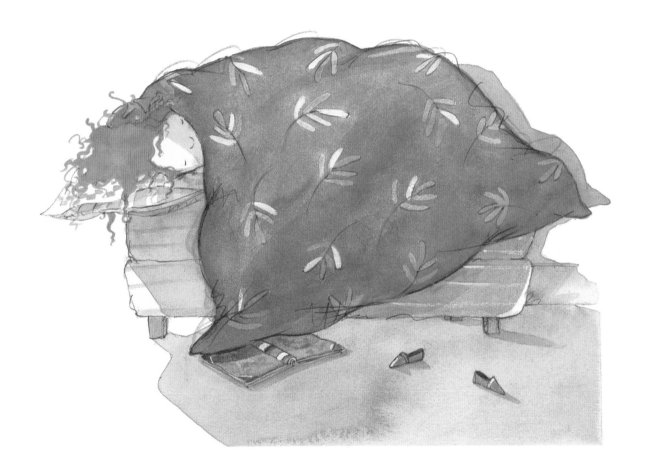

– Il dort sous mon édredon, dit Sacha.
– Parfait! bâille Stella. Dormons aussi.

– Stella, chuchote Sacha. Je ne peux pas dormir.
– Pourquoi ?
– Fred ronfle trop fort, dit Sacha.

– Bonne nuit, Sacha, soupire Stella.